Não Me Quero Constipar!

FICHA TÉCNICA
Baseado na série de animação LITTLE PRINCESS © The Illuminated Film Company 2007
Título original: I Don't Want a Cold!
I Don't Want a Cold! episode written by Cas Willing
Producer Iain Harvey, Director Edward Foster
© The Illuminated Film Company/Tony Ross 2007
Tradução @ Editorial Presença, Lisboa, 2007
Tradução: Carlos Grifo Babo
Composição: Multitipo — Artes Gráficas, Lda.
1.ª edição, Lisboa, Setembro, 2007
Depósito legal n.º 257 149/07

Reservados todos os direitos para a lingua portuguesa à
EDITORIAL PRESENÇA
Estrada das Palmeiras, 59
Queluz de Baixo
2730-132 BARCARENA
Email: info@presenca.pt
Internet: http://www.presenca.pt

Não Me Quero Constipar!

Tony Ross

EDITORIAL PRESENÇA

O sol já brilhava quando o galo cantou naquela manhã, mas toda a gente no castelo estava ainda a dormir. Todos, menos a Princesinha.

— Preciso do meu chapéu — disse ela — e dos óculos de sol.

Era o dia do piquenique real, e a Princesinha estava toda animada. Começou a encher a sua bóia de borracha, quando...

– A-tchim!

A Princesinha espirrou com tanta força que a bóia foi a voar pelo quarto fora.

– **Acordem!** Hoje é o dia do piquenique! — gritou a Princesinha, entrando a correr no quarto dos pais. O Rei e a Rainha pararam de ressonar e esfregaram os olhos.

– **A-tchim!** — espirrou a Princesinha.

Houve mais algumas fungadelas durante o pequeno-almoço.

— Já podemos ir? — perguntou a Princesinha.

— Mais devagar, minha querida — bocejou a Rainha. — Ainda não acabei...

O Rei apontou para o pingo no nariz da filha.

— Que tal uma assoadela, pequerrucha?

O Cozinheiro e a Ama estavam a tomar uma
bela chávena de chá na cozinha do castelo.

– HORA DO PIQUENIQUE!

— gritou a Princesinha.

Com o susto, a ama engasgou-se com

o chá e depois levantou-se para

começar a preparar as coisas.

— Este é o dia mais feliz da minha vida! — riu a Princesinha, ao saltar lá para fora. Todos os membros da casa real vinham em fila atrás dela, carregados com cestos, mantas e a comida para o piquenique.

A Princesinha tinha escolhido um sítio para o piquenique, mesmo ao pé do lago real.

— Já posso ir para a água?

A Ama disse que sim e ela soltou um grito de alegria e correu para a água.

– Toss... tosssss!

O Rei e a Rainha pararam de comer os seus pães de passas e olharam um para o outro. Primeiro espirros e o pingo no nariz, e agora tosse...

A Ama tirou logo a Princesinha da água. O piquenique foi rapidamente arrumado e marcharam de volta ao castelo.

A Princesinha estava furiosa.

— Mas eu quero chapinhar na água!

— Princesas doentes não podem chapinhar na água.

— Eu não estou doente — afirmou a Princesinha.

— A-tchiiiiiM!

A Ama franziu a testa. — Tape a boca quando espirrar, senão
ainda espalha esses micróbios horríveis por todo o lado.

A Médica auscultou o peito da Princesinha.

— A Princesa apanhou uma constipação — anunciou.

— Mas eu não quero apanhar nada, só quero ir
brincar — protestou a Princesinha.

— Tem de ir para a cama — continuou a Médica — e não
pode sair.

Ainda antes de ter almoçado, já a Princesinha estava aconchegada na sua caminha.

–– Agora nada de te levantares — lembrou o Rei.

O dia do piquenique da Princesinha estava a correr muito mal.

Na manhã seguinte, a Princesinha continuava muito constipada.
Esteve horas a tossir, a espirrar e a pingar do nariz.
Chegada a tarde, já não tinha nada para espirrar.
— Tenho é muita fome — concluiu. — Mesmo MUITA!

— A Princesa tem fome — gritou a Ama, correndo para a cozinha.

O Cozinheiro, encantado, beijou a ponta dos dedos.

— Tenho exactamente o que é preciso!

A Princesinha ficou horrorizada.

— O que é isso?

— Caldo de carne — respondeu a Ama.

— Eu não quero caldo. Quero um piquenique — amuou a Princesinha. Mas tinha tanta fome que acabou mesmo por comê-lo. A Princesinha estava cheia de pena de si própria.

Os outros todos andavam a divertir-se no jardim, e ela
enfiada na cama...

— Não tem graça nenhuma estar constipada — lamentou-se.

— Já sei! — gritou a Princesinha. — Vou fazer um piquenique na cama.
Endireitou a coberta e procurou os brinquedos debaixo da
cama. Em breve estavam todos preparados e alinhados em volta
de um lenço de assoar às bolinhas que fazia de manta de piquenique.
— Esta é a Mamã — apresentou ela — e este é o Papá.

A Princesinha riu-se e depois enfiou o seu chapéu de sol em cima das orelhas do Pintas.

— Eu sou eu e aquele é o Almirante.

Agora já só precisava do serviço de chá, mas estava longe de mais para lhe chegar.

A Princesinha debruçou-se da cama e procurou o chapéu-de-chuva. Era disso mesmo que precisava para puxar o carrinho de bebé das bonecas! Meteu-se lá dentro bem depressa e depois rodou pelo quarto.

– Princesa!
— disse uma voz firme atrás dela.
A Princesinha voltou-se e viu a
Médica à entrada do quarto,
acompanhada pelos restantes
membros da casa real.

— Mas os meus pés nunca
tocaram no chão — disse
a Princesinha.

— Já não estou constipada — anunciou a Princesinha. — O Miu-miu é que está.

— Os gatos não apanham as constipações das pessoas — disse a Médica.

A Princesinha pôs as mãos nas ancas.

— Pois eu é que já estou boa.

A Médica esteve imenso tempo a auscultá-la.

Toda a gente suspendeu a respiração. — Tens razão — anunciou finalmente. – A constipação foi-se.

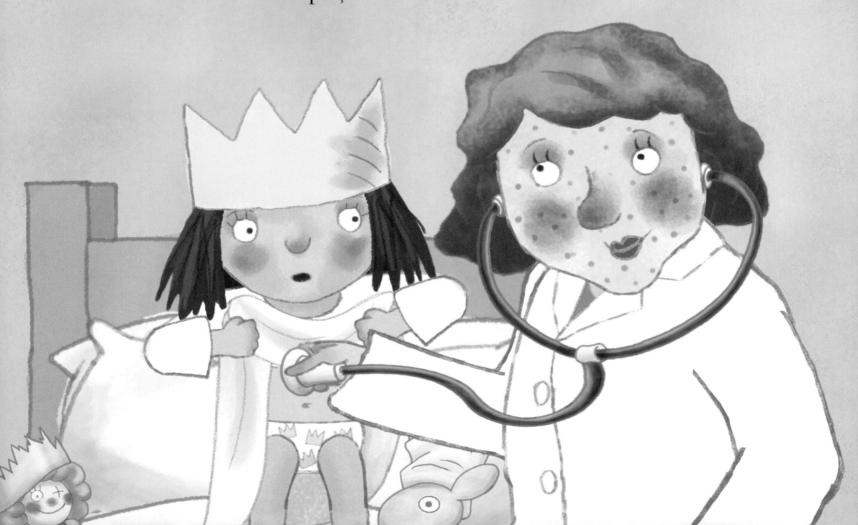

A Princesinha bateu palmas de contente.

— Fixe! Já podemos ir para o piquenique!
— gritou.

Toda a gente se reuniu no jardim com as coisas para o piquenique.
A Princesinha, animadíssima, pôs as braçadeiras e foi logo
direita ao lago.

— **A-tchim!** — espirrou a Ama.
A Princesinha parou a meio de um passo.

— **A-tchim!** — espirraram o Rei e a Rainha.

— **A-tchim!** — espirrou o General. E o Cozinheiro.
E o Primeiro-Ministro. E nem o Almirante conseguiu
evitar espirrar.

A Princesinha assustou-se. — Estão todos doentes!

Ninguém disse uma palavra.

— Vá! Tudo para a cama! — mandou ela, pondo fim ao piquenique.

O Rei franziu a testa. — Não é justo.

A Princesinha comandou a marcha de volta ao castelo, com os crescidos todos atrás dela a tossir e a pingar do nariz.

— Vá lá, Mamã. Vá lá, Papá. O piquenique para vocês acabou!

O piquenique tinha acabado antes de começar, mas a Princesinha

não ficou desapontada. Agora quem mandava era ela.

— Isto é muito mais giro!

E sorriu, passando o saco de água quente ao General.

O Cozinheiro pôs o cobertor pelas costas e tentou escapar-se
da sala à socapa.

— Ei! — gritou-lhe a Princesinha. — Nada de se levantar...

... que já aí vem o seu caldinho!